leren lezen met
Carry Slee

Het geheim

Met illustraties van
Marjolein Krijger

Pimento

Pien staat voor het hek.

Ze heeft haar hand bij haar mond.

'Kom film zien bij Pien!' roept ze.

'Mooie film bij Pien!'

Is er film bij Pien?

Tim komt er al aan

en Noer ook.

'Is die film op teevee?' vraagt Tim.

'Fout,' zegt Pien.

'De film is niet op teevee.'

Noer weet het al.

'De film is bij Pien op zolder.'

Pien schudt haar hoofd.

'De film is niet in mijn huis.'

'Dan is de film in de schuur,' zegt Tim.

'Weer fout,' zegt Pien.

'Je hebt geen film,' zegt Tim.

'Wel waar,' zegt Pien.

'De film is in de tuin.'

Pien gaat op haar rug op het gras liggen.

Ze kijkt omhoog.

Noer en Tim gaan ook op het gras liggen.

'De film is in de lucht,' zegt Pien.

'Kijk zelf maar.'

Noer en Tim zien het ook.

In de lucht hangt een wolk.

En nog een wolk en nog een.

Pien wijst naar de lucht.

'Zie je die wolk?

Dat is een reus.

De reus is boos.

Kijk maar, hij kijkt kwaad.'

'De reus is eng,' zegt Tim.

'Dag reus,' zegt Pien.

'Ben jij eng?

Ik ben heus niet bang voor jou!

Je kunt me niet pakken.

Je bent veel te hoog.'

'Daar is nog een wolk,' zegt Noer.

'Dat is een schaap.'

'Dag schaap,' zegt Pien.

'Heb je wol voor mij?'

'Pas op, schaap!' roept Noer.

'De reus eet je op.'

Tim vindt het nu heel eng.

Hij legt zijn hand op zijn oog.

Pien haalt de hand van Tim weg.

'Kijk maar, het is niet meer eng,' zegt ze.

'De reus is weer een wolk.'

De film gaat maar door.

Daar komt weer een wolk.

'Het is een beer!' zegt Pien.

'Dag beer!' roept Noer.

'Grom! Grom! Grom!' doet Noer.

De beer is bij het schaap.

Wat is de film leuk!

De beer bijt in de bil van het schaap.

'Jij bent stout, beer!' zegt Tim.

'Ja,' zegt Pien. 'Heel stout.

Zeg dan wat, beer.

Of ben je bang voor mij?'

'Ha, ha!' Tim lacht Pien uit.

'Een beer is niet bang.'

'Zeg dan wat, beer, als je durft!' roept Pien.

'Waf! Waf! Waf!'

Pien kijkt naar Noer en Tim.

'De beer blaft,' zegt ze.

'Dat kan niet,' zegt Noer.

'Een beer gromt.'

'Een beer danst ook wel eens,' zegt Tim.

'Maar hij blaft niet,' zegt Noer.

'De beer blaft wel,' zegt Pien.

'Ik hoorde: "Waf waf."'

'Ik weet al wie dat deed,' zegt Noer.

'Wie dan?' vraagt Pien.

'Een meisje,' zegt Noer.

'En weet je hoe ze heet? Pien.'

'Ja,' zegt Tim. 'Jij blaft voor de grap.'

'Niet waar!' zegt Pien. 'Ik blaf niet.'

waf

'Wel waar!' zegt Noer.

Noer legt haar hand op de mond van Pien.

'Zie je wel,' zegt ze. 'Nu hoor ik niets.'

'Ik hoor ook niets,' zegt Tim.

Waf

Maar opeens… 'Waf! Waf! Waf!'

waf

Dat kwam niet uit de mond van Pien.

Want daar zit een hand op.

Noer haalt haar hand weg.

'Zie je wel,' zegt Pien.

'Zie je wel dat ik het niet was.'

Maar wie blaft er dan?

Ze staan snel op.

'Waf! Waf! Waf!'

'De blaf hoort niet bij de film,' zegt Pien.

'De blaf komt uit de straat.'

Ze loopt door de tuin.

'Waf! Waf! Waf!'

Tim weet het ineens.

'De blaf is bij het hek.'

Ze hollen naar het hek.

En daar staat… een hond!

De hond is klein.

Hij is zwart met wit.

Wat is het hondje lief!

Pien steekt haar hand door het hek.

De hond geeft een lik.

'Wat kom jij doen?' vraagt Tim.

'Ik ken jou niet.'

'Ik weet al wat jij wilt,' zegt Pien.

'Jij wilt naar de film.

Jij wilt de beer zien en het schaap.

Dat mag wel van mij, hoor.

Kom maar hier.'

Pien laat het hondje door het hek.

Ze gaan weer op het gras liggen.

De hond hupt op de buik van Pien.

'Kijk dan omhoog,' zegt Pien.

'Dan zie je de film. Die is heel leuk.'

'Ik zie een kip,' zegt Tim.

Noer ziet de kip ook.

Pien ziet de buik van het hondje, meer niet.

Noer lacht om de kip in de lucht.

De kip legt geen ei.

De kip legt een koe.

Dat kan alleen in de film.

Tim lacht ook heel hard.

En Pien lacht ook.

Maar ze lacht niet om de kip.

Pien lacht om het hondje.

Het likt haar neus.

En dan weer haar oor.

'Help!' roept Pien.

'Jij eet mij op.

Ik weet het al, jij hebt trek.'

Pien gaat staan.

Tim en Noer staan ook op.

'Hij wil kaas,' zegt Tim.

'Ha, ha, ha!' lacht Pien.

'Het is geen muis!

Het is een hond.

Ik weet wel wat hij lust.'

Pien gaat haar huis in.

'Kijk eens wat ik voor je heb?'

Pien geeft het hondje een stuk brood.

Hap! Weg is het brood.

'Nu heb je geen trek meer,' zegt Pien.

'Nu moet je naar huis.'

Pien laat de hond door het hek.

'Dag hondje, dag!'

Maar de hond gaat niet weg.

Hij blijft staan bij het hek.

'Wij gaan mee tot de hoek,' zegt Noer.

'Dat vind je vast fijn.'

Ze gaan naar de hoek.

Het hondje loopt mee.

'Dag hondje,' zeggen ze als ze bij de hoek zijn.

Maar het hondje blijft weer staan.

'Hij wil een kus,' zegt Pien.

Ze bukt en zoent op zijn kopje.

Noer geeft een kus op zijn staart.

En Tim een op zijn rug.

'Dag!' Maar het hondje loopt niet weg.

'Je moet naar huis,' zegt Pien.

'Ik keer hier om, hoor!'

Pien loopt naar huis.

Maar het hondje loopt met haar mee.

'Hij wil niet weg,' zegt Tim.

'Maar dat moet wel,' zegt Noer.

'Hij moet naar huis.'

'Hup, naar je baas,' zegt Tim.

Maar het helpt niet.

'Ik weet hoe het komt,' zegt Pien.

'Hij wil bij mij zijn.

Als hij mij niet meer ziet,

gaat hij wel naar huis.'

Bij de stoep staat een auto.

Pien wijst ernaar.

'Zorg dat hij niet kijkt,' zegt Pien.

'Dan sluip ik weg.'

Noer pakt het hondje.

Maar het wil niet.

Het hondje rukt zich los.

Tim heeft een slim plan.

Hij trekt zijn jas uit.

Tim legt de jas op de hond.

De jas zit op zijn kop.

Dus hij kan niets zien.

Pien holt naar de auto.

Je kunt haar niet meer zien.

Het hondje kan Pien ook niet zien.

Maar wat zien Tim en Noer?

Zij zien een jas die loopt.

De jas snuft op de stoep.

Het ziet er heel raar uit.

De jas van Tim loopt!

Tim lacht en Noer ook.

Nu zegt de jas ook nog wat.

'Waf! Waf!' doet de jas.

'Kom maar hier,' zegt Noer.

Ze haalt de jas van de hond af.

'Pien is weg,' zegt ze.

'Ga nu maar naar huis.'

'Ga dan,' zegt Tim. 'Ga naar je baas.'

Hij tilt het hondje op.

Om de hoek zet Tim het hondje neer.

'Hollen!' roept Tim.

Noer en Tim rennen hard weg.

Pien holt ook naar huis.

Ze gaan vlug door het hek.

Zo, nu zijn ze in de tuin.

Het hondje zien ze niet.

Het is vast naar zijn baas.

'Ik wil nog een film zien,' zegt Pien.

Ze ligt al op het gras.

Het schaap is er niet meer.

En de beer is ook weg.

Maar wat zien ze nu?

De wolk is een spook.

'Dag spook,' zegt Pien.

'Hoe gaat het met jou?'

'Waf! Waf!'

Maar dat was het spook niet.

En Pien was het ook niet.

Ze snappen al wie dat deed.

Ze hollen naar het hek en…

daar staat het hondje weer!

'Hij heeft geen huis,' zegt Noer.

'Hij heeft geen baas,' zegt Tim.

waf

waf

23

'Wel waar,' zegt Pien.

'Hij heeft wel een huis.

Weet je waar zijn huis is?

Hier is zijn huis.'

'En zijn baas dan?' vraagt Tim.

'Dat ben ik,' zegt Pien.

Wat zegt Pien nou?

Maakt ze een grapje?

Pien pakt de hond op.

'Jij woont hier,' zegt ze. 'Bij mij.'

Dan kijkt ze naar het raam.

Mamma mag het hondje niet zien.

Mamma wil geen hond en pappa ook niet.

Dat vindt Pien juist zo stom.

'Je mag in mijn bed,' zegt Pien.

'Dat kan niet,' zegt Noer.

'Dan ziet jouw mamma hem toch.

Als ze jou een kus geeft.'

Dat is waar.

Pien denkt na.

Dan weet ze een plek.

Ze loopt naar de schuur.

'Hier woon jij,' zegt Pien.

'In de schuur, goed?'

Het hondje likt Pien.

'Hij vindt het fijn,' zegt Pien.

'Hij wil bij mij in de schuur.'

'Hij moet in een mand,' zegt Tim.

'En hij heeft vast ook dorst,' zegt Noer.

Pien kijkt in de schuur.

Ze ziet een doos.

Ze legt een doek in de doos.

'Dit is jouw mand,' zegt ze.

In de schuur is ook een kom.

Pien houdt die onder de kraan.

Ze zet het hondje in de doos.

'Je bent moe, ga maar liggen.

Ik zing een liedje voor jou.

Slaap, hondje slaap,' zingt Pien.

'Daar buiten loopt een schaap…'

Ze kijkt naar het hondje.

Zijn oogjes gaan dicht.

Pien sluipt uit de schuur.

Noer en Tim zijn al in de tuin.

'Hij slaapt,' zegt Pien.

Daar komt de mamma van Pien.

'Wie slaapt er?' vraagt ze.

Tim wordt rood en Noer ook.

Maar Pien niet.

'Ons geheim.'

Meer zegt Pien niet.

'Waf! Waf! Waf!'

Het komt uit de schuur.

O jee, nu hoort mamma hun geheim.

Ze gaat naar de schuur.

'Hoe kom jij hier?' vraagt mamma.

'Hij wil niet weg,' zegt Pien.

'Hij wil van mij zijn.'

Mam kijkt naar de nek van de hond.

Er is geen band met een naam.

'Ik wil hem hebben,' zegt Pien.

'Hij is wel lief,' zegt mamma.

'Hij mag hier één nacht zijn.

Dan hang ik een brief op.'

'En als hij geen baas heeft?' vraagt Pien.

'Dat weet ik nog niet,' zegt mamma.

Het hondje vindt mamma lief.

Hij geeft haar een lik.

Pien kijkt naar mamma.

En dan weet ze het.

Mamma stuurt de hond heus niet weg.

Zij vindt hem ook veel te lief.

29

NEDERLANDSE
KINDERJURY
2006

Eerste druk, april 2005
Tweede druk, juni 2005
Derde druk, augustus 2005
Vierde druk, november 2005
Vijfde druk, mei 2006

Boeken met dit vignet zijn op niveaubepaling geregistreerd
en gecontroleerd door KPC Groep te 's-Hertogenbosch.

ISBN 90 499 2030 6
NUR 287

www.carryslee.nl

Pimento is een imprint van Pimento BV,
onderdeel van de Foreign Media Group